à la piscine

Stéphane Descornes • Mérel

Rachid le timide

Mélanie la chipie

Pacha le chat

Pascale la géniale

Arthur le gros dur

ES-tu prêt pour une nouvelle aventure? Eh bien, commençons!

Ah, j'y pense: les mots suivis d'un ☼ sont expliqués à la fin de l'histoire.

C'est mercredi… Gafi,
Pascale et Rachid s'amusent
à la piscine.

Rachid a très peur de l'eau! Il croit toujours voir des monstres bizarres au fond de la piscine.

– Rejoins-nous, lui propose Gafi.
Ne crains rien, je ne suis pas loin!

Rachid hésite.

– Viens, insiste Pascale, elle est bonne!

Aïe ! Voilà Kévin, le fils du maître nageur. Il adore embêter les autres. Sans bruit, il s'approche de Rachid et lui crie dans l'oreille :

– HOU !

Rachid sursaute et tombe dans la piscine !

Va-t-il paniquer ?

– Quelle poule mouillée ☼ ! se moque
Kévin.

Ouf, Gafi s'est transformé en bouée
et Rachid s'accroche à lui…
– Tu avais raison, Pascale, se force
à sourire Rachid, elle est bonne !

Rachid commence à se rassurer.
– Ah, tu n'as plus peur de l'eau?
ricane Kévin. Alors faisons une course!

Il déclenche un chronomètre ⁕
sur sa montre de plongée et il part
comme une flèche…

– Vas-y, tu peux le rattraper,
l'encourage Pascale.

– Je m'en moque, de gagner la course!
dit Rachid.

Mais le fantôme n'est pas
de cet avis. Aussitôt, il prend
la forme d'un dauphin.

À ton avis,
que va-t-il se passer?

– Accroche-toi, on va bien s'amuser !
promet Gafi.

En effet, les voilà qui dépassent
vite Kévin.

– Et Rachid gagne la course!
annonce Pascale.

– C'est de la triche! se plaint
le garçon.

Pour se venger, le fils du maître nageur
montre un endroit dans l'eau et crie :
– Attention ! Une pieuvre géante !
   Inquiet, Rachid regarde autour
de lui, mais Gafi le rassure :
– Ne t'en fais pas, ce n'est qu'une
mauvaise blague.

Soudain, Kévin devient tout pâle.

En nageant, il a perdu sa belle montre.

– Je vais me faire gronder, pleurniche
le garçon.

21

Kévin n'a pas été gentil.
Pourtant Rachid décide de l'aider
quand même.

Il prend une grande respiration,
plonge sous l'eau... et se lance
à la recherche de la montre!

Gafi n'est pas loin, et Rachid
se sent comme un poisson
dans l'eau ☀ !
Aucun monstre à l'horizon…
Mais qu'est-ce qui brille, là,
tout au fond ?
Une montre ! La montre de Kévin !

Tout fier, Rachid rapporte sa montre
à Kévin. Ses amis le félicitent :
– Tu es le roi de la piscine!

c'est fini !

26

Certains mots sont peut-être difficiles à comprendre. Je vais t'aider !

Poule mouillée : On dit de quelqu'un qu'il est une poule mouillée pour dire qu'il est craintif ou peureux.

Chronomètre : Instrument qui permet de mesurer le temps lors d'une course.

Se sentir comme un poisson dans l'eau : être très à l'aise.

Féliciter : Complimenter quelqu'un pour ce qu'il a fait.

27

AS-TU AIMÉ mon histoire ? JOUONS ensemble, maintenant !

As-tu bien lu ?

Remets dans l'ordre les quatre grands moments de l'histoire.

réponse : 2, 1, 4, 3.

Histoires de poules

**Kévin traite Rachid de «poule mouillée» :
pour lui, Rachid a tout le temps peur.**

**Connais-tu la signification de ces autres
expressions formées avec le mot «poule»?**

1) Une mère poule

a) Quelque chose ou
quelqu'un qui peut
produire beaucoup
de richesse

2) Une poule
aux œufs d'or

b) Les frissons et
les poils qui se
dressent sur la peau

c) Une maman ou
une personne très
gentille qui prend
beaucoup soin
des autres

3) La chair de poule

réponse : 1c ; 2a ; 3b.

29

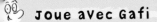

Le message codé

Déchiffre le message mystère à l'aide du code.

P ch st

cmm Rchd.

l n' m ps

l'

nn pls.

Mauvaise blague!

Si tu voulais faire une farce à Kévin, quel robinet ouvrirais-tu ?

Réponse : le robinet 2.

Dans la même collection
Illustrée par Mérel

Je commence à lire

1- *Qui a fait le coup?* Didier Jean et Zad • 2- *Quelle nuit!* Didier Lévy • 3- *Une sorcière dans la boutique*, Mymi Doinet • 4- *Drôle de marché!* Ann Rocard • 15- *Bon anniversaire, Gafi!* Arturo Blum • 16- *La fête de la maîtresse*, Fanny Joly • 23- *Gafi et le magicien*, Arturo Blum • 24- *Le robot amoureux*, Stéphane Descornes • 29- *Une drôle de robe!* Elsa Devernois • 30- *Pagaille chez le vétérinaire!* Stéphane Descornes • 35- *Le nouvel élève*, Anne Ferrier • 36- *Le visiteur de l'espace*, Stéphane Descornes • 41- *Le ballon magique*, Stéphane Descornes • 42- *SOS, dauphin!* Anne Ferrier • 45- *Safari en folie!* Stéphane Descornes • 49- *Gafi contre Dracula*, Stéphane Descornes • 52- *Gafi à la piscine*, Stéphane Descornes

Je lis

5- *Gafi a disparu*, Didier Lévy • 6- *Panique au cirque!* Mymi Doinet • 19- *Mystère et boule de neige*, Mymi Doinet • 20- *Le voleur de bonbons*, Didier Jean et Zad • 26- *Qui a mangé les crêpes?* Anne Ferrier • 43- *Le chat du pharaon*, Mymi Doinet • 44- *En route pour l'espace*, Stéphane Descornes • 46- *Gafi aux Jeux Olympiques*, Danièle Fossette • 47- *La plante magique*, Stéphane Descornes • 50- *Gafi à Paris*, Françoise Bobe • 51- *Gafi chez Toc-toc Chef*, Laurence Gillot

Je lis tout seul

9- *L'ogre qui dévore les livres*, Mymi Doinet • 10- *Un étrange voyage*, Ann Rocard • 11- *La photo de classe*, Didier Jean et Zad • 12- *Repas magique à la cantine*, Didier Lévy • 17- *La course folle*, Elsa Devernois • 18- *Sauvons Pacha!* Laurence Gillot • 21- *Bienvenue à bord!* Ann Rocard • 22- *Gafi et le chevalier Grocosto*, Didier Lévy • 27- *Qui a kidnappé la Joconde?* Mymi Doinet • 28- *Grands frissons à la ferme!* Didier Jean et Zad • 33- *Les chocolats ensorcelés*, Mymi Doinet • 34- *Au bal costumé*, Laurence Gillot • 39- *Mélanie la pirate*, Stéphane Descornes • 40- *Sous les étoiles*, Elsa Devernois • 48- *Sur le Tour de France*, Laurence Gillot

Directeur de collection et conseil pédagogique : Alain Bentolila
Jeux conçus par Georges Rémond

© 2015, Éditions NATHAN, SEJER, 25 avenue Pierre-de-Coubertin, 75013 Paris
Loi n° 49-956 du 16 juillet 1949 sur les publications destinées à la jeunesse,
modifiée par la loi n°2011-525 du 17 mai 2011
ISBN 978-2-09-255657-3
N° éditeur : 10205850 - Dépôt légal : janvier 2015
Imprimé en décembre 2014 par Loire Offset Titoulet (42900, Saint-Étienne, France)